环球网校
移动学习 职达未来 hqwx.com

U0788288

金属材料的类型及应用

- 黑色金属材料★
  - 钢铁
    - 钢是以铁为主要元素，含碳量一般在2%以下，并含有其他元素的材料
    - 生铁是含碳量超过2%,并且其他合金元素含量不超过规定极限值的铁-碳合金
  - 机电工程常用的钢产品
    - 非合金钢材料：普通非合金钢、优质非合金钢、特殊质量非合金钢
    - 轧制成品和最终产品：钢板和钢管、型钢、钢制法兰、阀门
    - 其他产品
  - 特种设备用非合金钢管板和钢管
    - 钢牌号示例：
      （1）Q245：“Q”为屈服强度第一个字母，“245”代表最小屈服强度值为245MPa（或N/mm²）
      （2）20MnG：20表示平均含碳量为0.002；“Mn”表示较高含锰量的优质非合金钢，“G”表示锅炉用钢管
      （3）L210：“L”表示管线用钢，“210”代表最小屈服强度值为210MPa（或N/mm²）
- 有色金属材料★
  - 铝及铝合金
    - （1）重熔用铝锭（纯铝）；（2）铸造铝合金；（3）变形铝及铝合金；（4）铝及铝合金管材；（5）铝及铝合金建材型材；（6）铝和铝合金母线
  - 其他有色金属
    - 包括：铜、钛、镁、镍、锆金属及其合金
  - 贵重金属
    - 贵金属主要指金、银和铂族金属

环球网校
移动学习 职达未来 hqwx.com

- **非金属材料的类型**
  - 高分子材料
    - 高分子材料按特性可分为橡胶、纤维、塑料、高分子胶粘剂、高分子涂料和高分子基复合材料等
    - 塑料
      - 通用塑料
        - 聚乙烯（PE）：用于薄膜、管材、注射件、日用品等多个领域
        - 聚丙烯（PP）：根据用途的不同，均聚聚丙烯主要用在拉丝、纤维、注射件、BOPP膜等领域
        - 聚氯乙烯（PVC）：在建筑领域里用途广泛，尤其是在下水道管材、塑钢门窗、板材、人造皮革等方面用途最为广泛
      - 工程塑料
        - 通用工程塑料
        - 特种工程塑料
    - 橡胶
      - 通用橡胶：天然橡胶、丁苯橡胶、顺丁橡胶、氯丁橡胶
      - 特种橡胶：硅橡胶、氟橡胶、聚氨酯橡胶、丁腈橡胶
  - 无机非金属材料
    - 普通（传统）非金属材料：水泥、玻璃、陶瓷、耐火材料
    - 特种（新型）无机非金属材料：先进陶瓷、非晶态材料、人工晶体、无机涂层、无机纤维

环球网校
移动学习 职达未来 hqwx.com

非金属材料使用范围

- 绝热材料
  - 膨胀珍珠岩类、离心玻璃棉类、超细玻璃棉类、微孔硅酸壳、矿棉类、岩棉类、泡沫塑料类等，常用于保温、保冷的各类容器、管道、通风空调管道等绝热工程
- 塑料及复合材料水管★
  - 硬聚氯乙烯管：主要用于给水管道（非饮用水）、排水管道、雨水管道
  - 氯化聚氯乙烯管：主要应用于冷热水管、消防水管系统、工业管道系统
  - 无规共聚聚丙烯管：主要应用于饮用水管、冷热水管
  - 丁烯管：特别适用于薄壁、小口径压力管道
  - 塑复铜管：主要用作工业及生活饮用水，冷、热水输送管道
- 非金属风管
  - 玻璃纤维复合风管
    - 适用于中压以下空调系统
    - 不适用于洁净空调、酸碱性环境、防排烟系统、湿度90%以上
  - 酚醛复合风管
    - 适用于低、中压空调系统、潮湿环境
    - 不适用于高压及洁净空调、酸碱性环境、防排烟系统
  - 聚氨酯复合风管
    - 适用于低、中、高压洁净空调系统、潮湿环境
    - 不适用于酸碱性环境、防排烟系统
  - 硬聚氯乙烯：适用于洁净室含酸碱的排风系统

环球网校
移动学习 职达未来 hqwx.com

电气材料的类型及应用（1）

电缆

- 电力电缆：阻燃电缆、耐火电缆、氧化镁电缆、分支电缆、铝合金电缆
- 控制电缆用于电气控制系统和配电装置的二次系统。二次电路的电流较小，因此芯线截面通常在10mm²以下，控制电缆的线芯多采用铜导体，其芯线组合有同心式和对绞式
- 仪表电缆：如YVV、YVVP等，适用于仪器仪表及其他电气设备中的信号传输及控制线路

母线槽

母线槽的分类：
（1）母线槽按绝缘方式可分为空气型母线槽、紧密型母线槽和高强度母线槽三种
（2）按导电材料分为铜母线槽和铝母线槽
（3）按防火能力可分为普通型母线槽和耐火型母线槽

母线槽选用：
（1）高层建筑的垂直输配电应选用紧密型母线槽，可防止烟囱效应
（2）大容量母线槽可选用散热好的紧密型母线槽，若选用空气型母线槽，应采用只有在专用工作场所才能使用的IP30的外壳防护等级
（3）母线槽接口相对较容易受潮，选用母线槽时应注意其防护等级
（4）母线槽不能直接和有显著摇动和冲击振动的设备连接，应采用软接头加以连接

环球网校
移动学习 职达未来 hqwx.com

电气材料的类型及应用（2）

- 绝缘材料
  - 按其物理状态分
    - 气体绝缘材料【有空气、氮气、二氧化硫和六氟化硫(SF6)】
    - 液体绝缘材料
    - 固体绝缘材料
  - 按其化学性质为
    - 无机绝缘材料
      - 包括云母、石棉、大理石、瓷器、玻璃和硫黄等。主要用作电机和电器绕组绝缘、开关的底板和绝缘子
    - 有机绝缘材料
      - 包括矿物油、虫胶、树脂、橡胶等，大多用于制造绝缘漆、绕组和导线的被覆绝缘物
    - 混合绝缘材料

环球网校
移动学习 职达未来 hqwx.com

- **通用工程设备的分类和性能**
  - 泵的性能★★
    - 泵的性能参数有：流量、扬程、功率、效率、转速
  - 风机的分类和性能
    - 分类
      - 按照气体在旋转叶轮内部流动方向划分，可分为：离心式风机、轴流式风机、混流式风机
      - 按结构形式分为单级风机、多级风机
      - 按照排气压强的不同分为通风机、鼓风机、压气机
    - 性能参数
      - 流量（又称为风量）、全风压、动压、静压、功率、效率、转速、比转速

环球网校
移动学习 职达未来 hqwx.com

起重机械与吊具的分类

- 起重机械的分类★★
  - 轻小型起重设备
    - 千斤顶、滑车、起重葫芦、卷扬机
  - 起重机
    - 桥架型起重机
      - 梁式起重机、桥式起重机、门式起重机、半门式起重机
    - 臂架型起重机
      - 门座起重机和半门座起重机、塔式起重机、流动式起重机、铁路起重机、桅杆起重机、悬臂起重机
    - 缆索型起重机
  - 非常规起重机
    - 桅杆起重机
      - 桅杆起重机（以下简称桅杆）由桅杆本体、动力-起升系统、稳定系统组成
      - 缆风绳与地面夹角应在30°～45°之间，且应与供电线路、建筑物、树木保持安全距离
    - 门架起重机
      - 大型建筑结构的液压整体提升和大型设备门式起重机的液压整体提升
- 吊具
  - 定义：在起重机械作业中，用于吊运物品的装置，用于连接吊钩或承载设施和设备与吊索的刚性元件
  - 分类：
    （1）起重吊具按照与起重机械的连接方式分为可分吊具和固定吊具
    （2）起重吊具按照取物方式分为夹持类、吊挂类、托叉类、吸附类、抓斗及上述种类的组合

环球网校
移动学习 职达未来 hqwx.com

轻小型起重设备的使用要求

- 千斤顶的主要使用要求★★
  - 座下垫木板或钢板，防止下陷歪斜
  - 头部与被顶物全面接触，防止出现点接触或线接触的情况
  - 保险垫块的高度随工件的升降调整
  - 多台要同步，每台载荷不应超过其额定荷载的80%
- 起重滑车的主要使用要求★
  - 常用HQ系列（通用滑车），动、定滑车最小距离不小于1.5m，穿跑绳的方法有顺穿、花穿、双抽头穿法
- 卷扬机的主要使用要求
  - 起重工程中，一般采用电动慢速卷扬机
  - 安装在平坦、开阔、无障碍，离吊装中心稍远处。固定应牢靠，严防倾覆和移动
  - 由卷筒到最后一个导向滑车的水平直线距离不应小于卷筒长度的25倍，入绳角小于2°
  - 钢丝绳从卷筒底放出，余留钢丝绳不少于4圈

环球网校
移动学习 职达未来 hqwx.com

流动式起重机的使用要求

- 流动式起重机基本参数★★
  - 主要有最大额定起重量、最大工作半径（幅度）、最大起升高度
- 流动式起重机的特性曲线
  - 反映流动式起重机的起重能力随臂长、工作半径的变化而变化的规律和反映流动式起重机的最大起升高度随臂长、工作半径变化而变化的规律的曲线称为起重机的特性曲线
- 流动式起重机的选用步骤
  - （1）收集吊装技术参数
  - （2）选择起重机
  - （3）制定吊装工艺
  - （4）安全性验算
  - （5）确定起重机工况参数

环球网校
移动学习 职达未来 hqwx.com

桅杆起重机的使用要求

- 桅杆起重机的结构
  - 组成：桅杆本体、动力-起升系统、稳定系统
  - 稳定系统主要包括缆风绳、地锚。缆风绳与地面夹角应在30°～45°之间，且应与供电线路、建筑物、树木保持安全距离
- 桅杆起重机的使用要求★
  - 桅杆使用应具备质量和安全合格的文件：制造质量证明书；制造图、使用说明书；载荷试验报告；安全检验合格证书
  - 桅杆应严格按照使用说明书的规定使用
  - 桅杆的使用长度应根据吊装设备、构件的高度确定。中心线偏差不应大于长度的1/1000，总偏差不应大于20mm
  - 拧紧螺栓时应逐次对称交叉进行
- 地锚的结构形式及使用范围★★
  - 全埋式地锚：适用于有开挖条件的场地，可以承受较大的拉力，多在大型吊装中使用
  - 半埋式地锚
  - 压重式活动地锚：适用于地下水位较高或土质较软等不便深度开挖的场地。小型压重式活动式地锚承受的力不大，多在中、小型吊装作业中使用

环球网校
移动学习 职达未来 hqwx.com

吊装方法与吊装方案

- 常用的吊装方法★
  - 滑移吊装法应用：主要针对自身高度较高、卧态位置待吊、竖立就位的高耸设备或结构
  - 吊车抬送法应用：应用广泛，适用于各种设备和构件
  - 无锚点推吊法：应用的典型工程如：氮肥厂的排气筒、毫秒炉初馏塔吊装
  - 万能杆件吊装法：用于桥梁施工中
  - 液压顶升法
- 吊装方案的编制与审批★★★
  - 危大工程：
    （1）采用非常规起重设备、方法，且单件起吊重量在10kN及以上的起重吊装工程
    （2）采用起重机械进行安装的工程
    （3）起重机械安装和拆卸工程
  - 超过一定规模的危大工程：
    （1）采用非常规起重设备、方法，且单件起吊重量在100kN及以上的起重吊装工程
    （2）起重量300kN及以上的起重设备安装工程；或搭设总高度200m及以上，或搭设基础标高在200m及以上的起重机械安装和拆卸工程

环球网校
移动学习 职达未来 hqwx.com

机电工程焊接技术

- 焊接工艺评定规则★★
  - 各种焊接方法的通用评定规则
    - （1）焊接方法的评定规则
    - （2）母材的评定规则
    - （3）填充金属的评定规则
    - （4）焊后热处理的评定规则
    - （5）试件厚度与焊件厚度的评定规则
  - 焊接工艺评定规则
    - （1）焊接方法影响程度可分为重要因素、补加因素和次要因素
    - （2）当改变任何一个重要因素时，都需重新进行焊接工艺评定
    - （3）当增加或变更任何一个补加因素时，则可按照增加或变更的补加因素，增焊冲击韧性试件进行试验
    - （4）当增加或变更次要因素时，不需要重新评定，但需重新编制预焊接工艺规程
- 焊接质量检测★★★
  - 焊接前检验
    - （1）焊工应取得相应的资格，获得了焊接工艺（作业）指导书，并接受了技术交底
    - （2）焊接设备及辅助装备应能保证焊接工作的正常进行和安全可靠，仪表应定期检验
    - （3）焊接环境应符合规范要求
    - （4）焊前预热的加热方法、加热宽度、保温要求、测温要求应符合规范要求
  - 焊接过程检验
    - 焊接工艺参数包括：焊接方法、焊接材料、焊接电流、焊接电压、焊接速度、电流种类、极性、焊接层（道）数、焊接顺序
  - 焊接后检验
    - 目视检测、无损检测、热处理、理化和力学性能检验、强度试验

环球网校
移动学习 职达未来 hqwx.com

机械设备安装工程施工技术

- 垫铁设置★★★
  - 应符合要求：
  - （1）垫铁与设备基础之间的接触良好
  - （2）每个地脚螺栓旁边至少应有一组垫铁，并设置在靠近地脚螺栓和底座主要受力部位下方
  - （3）相邻两组垫铁间的距离宜为500～1000mm
  - （4）设备底座有接缝处的两侧，各设置一组垫铁
  - （5）每组垫铁的块数不宜超过5块，放置平垫铁时，厚的宜放在下面，薄的宜放在中间，垫铁的厚度不宜小于2mm
  - （6）每组垫铁应放置整齐平稳，并接触良好
  - （7）设备调平后，垫铁端面应露出设备底面外缘，平垫铁宜露出10～30mm，斜垫铁宜露出10～50mm
  - （8）除铸铁垫铁外，设备调整完毕后各垫铁相互间用定位焊焊牢
- 零部件清洗与装配
  - 装配步骤：由小到大，从简单到复杂进行组合件装配；按照先零件、再组件、到部件的顺序进行装配；先主机后辅机，由部件进行总装配
  - 常见的零部件装配
    - 螺纹联接件装配：紧固方法：定力矩法、测量伸长法、液压拉伸法、加热伸长法
    - 过盈配合件装配：装配方法：一般采用压入装配、低温冷装配和加热装配法，而在安装现场，主要采用加热装配法
    - 对开式滑动轴承装配：轴承间隙的检测及调整

环球网校
移动学习 职达未来 hqwx.com

机械设备安装精度的控制

- 影响设备安装精度的因素★★★
  - 设备基础 主要影响：强度和沉降
  - 垫铁埋设 主要影响：承载面积和接触情况
  - 设备灌浆 主要影响：强度和密实度
  - 地脚螺栓 主要影响：紧固力和垂直度
  - 测量误差 主要影响：仪器精度、基准精度 、技能水平和责任心
  - 设备制造 主要影响：加工精度和装配精度
  - 环境因素 主要影响：基础温度变形、设备温度变形和恶劣环境场所

环球网校
移动学习 职达未来 hqwx.com

电气安装工程施工技术（1）

电缆直埋敷设要求 ★★★

（1）直埋电缆应使用铠装电缆，铠装电缆的两端金属外皮要可靠接地，接地电阻不得大于10Ω

（2）开挖的沟底是松软土层时，可直接敷设电缆，一般电缆埋深应不小于0.7m，穿越农田时应不小于1m；如果有石块或硬质杂物要铺设100m厚的软土或细沙

（3）直埋电缆同沟时，相互距离应符合设计要求，平行距离不小于100mm，交叉距离不小于500mm

（4）直理电缆的中间接头外面应有防止机械损伤的保护盒（环氧树脂接头盒除外），盒下面应垫以混凝土基础板，长度要伸出接头保护盒两端600~700mm，进入建筑物前留有足够的电缆余量

（5）直埋电缆自电缆沟引进隧道、工作井和建筑物时，要穿在管中，并将管口堵塞

交接试验 ★★★

注意事项：

（1）高压试验设备和高电压引出线周围：装设遮拦并悬挂警示牌

（2）进行高电压试验时：操作人员与高电压回路间应具有足够的安全距离。例如：电压等级6~10kV，不设防护栏时，最小安全距离为0.7m

（3）高压试验结束后：对直流试验设备及大电容的被测试设备多次放电，放电时间至少1min以上

（4）断路器的交流耐压试验：在分、合闸状态下分别进行

（5）成套设备进行耐压试验时：将连接在一起的各种设备分离开单独进行

（6）直流耐压试验时：试验电压按每级0.5倍额定电压分阶段升高，每阶段停留1min，并记录泄漏电流

环球网校
移动学习 职达未来 hqwx.com

电气安装工程施工技术（2）

电力架空线路施工要求★★★

- 电杆线路
  - 基础、电杆、导线，绝缘子、金具、避雷线及接地装置
- 导线连接要求
  - 导线连接应接触良好，其接触电阻不应超过同长度导线电阻的1.2倍
  - 导线连接处应有足够的机械强度，其强度不应低于导线强度的95%
  - 在任一档距内的每条导线，只能有一个接头
  - 不同金属、不同截面的导线，只能在杆上跳线处连接
  - 导线钳压连接前，要选择合适的连接管，其型号应与导线相符
- 导线在绝缘子上的固定方法
  - 顶绑法、侧绑法、终端绑扎法、耐张线夹固定导线法

环球网校
移动学习 职达未来 hqwx.com

电气安装工程施工技术（3）

- 电缆（本体）敷设的要求
  - 施工技术准备
    - 电缆封端应严密，并根据要求做电气试验
    - 6kV以上的橡塑电缆，应做交流耐压试验或直流耐压试验及泄漏电流测试
    - 1kV及以下的橡塑电缆用2500V兆欧表测试绝缘电阻代替耐压试验，电缆绝缘电阻在试验前后无明显变化，并做好记录
  - 电缆施放要求
    - 电缆应从电缆盘上端拉出施放
    - 人工施放时必须每隔1.5～2m放置滑轮一个，不得把电缆放在地上拖拉

环球网校
移动学习 职达未来 hqwx.com

管道工程施工技术

管道工程的施工程序及要求★

工业管道工程的施工程序

施工准备（技术、人员、机具、材料、现场）→配合土建预留、预埋、测量→管道、支架预制→附件、法兰加工、检验→管段预制→管道安装→管道系统检验→管道系统试验→防腐绝热→系统清洗→资料汇总、绘制竣工图→竣工验收

阀门检验★★★

阀门检验	介质及要求	试验压力	试验时间	试验温度
壳体压力试验	洁净水 不锈钢阀门试验时，水中的氯离子含量不得超过 25ppm	20℃时最大允许工作压力的 1.5 倍	持续时间不得少于 5min	5～40℃，当低于5℃时，应采取升温措施
密封试验		20℃时最大允许工作压力的 1.1 倍		

连接设备的管道安装★★

（1）连接前：自由状态下检验法兰的平行度和同轴度，偏差应符合规定要求

（2）连接时：应在联轴节上架设百分表監视机器位移

（3）试压、吹扫合格后：应对该管道与机器的接口进行复位检

（4）安装合格后：不得承受设计以外的附加载荷

环球网校
移动学习 职达未来 hqwx.com

管道系统试验和吹洗要求

- 管道系统试验★★★
  - 压力试验
    - 液压试验
      - 过程：缓慢分段升压，待达到试验压力后，稳压10min，再将试验压力降至设计压力，保持30min
      - 试验压力：设计压力的1.5倍
      - 合格标准：压力表有无压降、管道所有部位有无渗漏
    - 气压试验
      - 过程：逐步缓慢增加压力，当压力升至试验压力的50%时，如未发现异常或泄漏现象，继续按试验压力的10%逐级升压，每级稳压3min，直至试验压力。应在试验压力下稳压10min，再将压力降至设计压力
      - 试验压力：设计压力的1.15倍
      - 合格标准：发泡剂检验不泄漏为合格
  - 泄漏试验
    - 过程：逐级缓慢升压，当达到试验压力，并且停压10min后，采用涂刷中性发泡剂的方法巡回检查
    - 试验压力：等于设计压力
    - 合格标准：密封点应无泄漏
    - 重点检查部位：阀门填料函、法兰或者螺纹连接处、放空阀、排气阀、排净阀等所有密封点
  - 真空度试验：压力试验合格后，按规定进行24h真空度试验，系统增压率≤5%
- 管道的吹扫与清洗要求
  - 介质为水：流速≥1.5m/s
  - 介质为空气：流速≥20m/s
  - 介质为蒸汽：流速≥30m/s

环球网校
移动学习 职达未来 hqwx.com

动力和发电设备安装技术（1）

- 汽轮机和发电机的分类和组成★
  - 汽轮机设备主要由汽轮机本体设备（包括静止部分和转动部分）、蒸汽系统设备、凝结水系统设备、给水系统设备和其他辅助设备组成
  - 汽轮发电机由定子和转子两部分组成：
    （1）定子主要由机座、定子铁心、定子绕组、端盖等部分组成
    （2）转子主要由转子锻件、励磁绕组、护环、中心环和风扇等组成
- 转子安装技术要点
  - 转子安装：转子吊装、转子测量和转子、汽缸找中心
  - 转子测量：轴颈椭圆度和不柱度的测量、转子跳动测量（径向、端面和推力盘瓢偏）、转子弯曲度测量

环球网校
移动学习 职达未来 hqwx.com

动力和发电设备安装技术（2）

- **锅炉系统的组成★★**
  - 锅炉本体
    - 锅：汽包（汽水分离器及储水箱）、下降管、集箱（联箱）、水冷壁、过热器、再热器、气温调节装置、排污装置、省煤器及其连接管路的汽水系统组成
    - 炉：炉膛、炉前煤斗、炉排、分配送风装置、燃烧器、烟道、空气预热器、除渣机等
  - 锅炉辅助设备：燃料供应、送引风设备、汽水系统设备、除渣设备、烟气净化、仪表和自控系统设备
  - 锅炉本体受热面安装：设备清点检查→光谱检查→通球试验→联箱找正划线→管子就位对口和焊接
  - 锅炉热态调试与试运转
    - 烘炉
      - 目的：使锅炉砖墙能够缓慢地干燥，在使用时不致损裂
      - 种类：火焰烘炉、蒸汽烘炉、蒸汽和火焰混合烘炉
    - 煮炉：目的：用化学药剂在运行前清除锅内的铁锈、油脂和污垢、水垢等，防止蒸汽品质恶化，避免结垢而影响传热和烧坏
    - 蒸汽管路的冲洗与吹洗：冲洗吹洗范围应包括减温水管系统、锅炉过热器、再热器及过热蒸汽管道吹洗
    - 锅炉试运行：必须在烘炉煮炉合格的前提下进行；在试运行时使锅炉升压：在锅炉启动时升压应缓慢，升压速度应控制，尽量减小壁温差以保证锅筒的安全工作；认真检查人孔、焊口、法兰等部件，如发现有泄漏时应及时处理；仔细观察各联箱、锅筒、钢架支架等的热膨胀及其位移是否正常；试运行完毕后，按规定办理移交签证手续
- **光伏与风力发电设备的安装技术要求**
  - 光伏发电设备组成：由光伏支架、光伏组件、汇流箱、逆变器、电气设备等组成；光伏支架包括跟踪式支架、固定支架和手动可调支架等
  - 风力发电设备的构成：塔筒、机舱、发电机、轮毂、叶片、电气设备

环球网校
移动学习 职达未来 hqwx.com

自动化仪表工程安装技术（1）

- 自动化仪表安装施工的原则★★
  - 施工原则：先土建后安装；先地下后地上；先安装设备再配管布线；先两端（控制室、就地盘、现场仪表）后中间（电缆槽、接线盒、保护管、电缆、电线和仪表管道等）
  - 安装原则：先里后外；先高后低；先重后轻
  - 调校原则：先取证后校验；先单校后联校；先单回路后复杂回路；先单点后网络
- 自动化仪表设备的安装要求
  - 直接安装在管道上的仪表，宜在管道吹扫后安装，必须与管道同时安装时，在管道吹扫前应将仪表拆下
  - 测温元件安装在易受被测物料强烈冲击的位置，应按设计文件规定采取防弯曲措施
  - 节流件必须在管道吹洗后安装，其安装方向要符合要求

环球网校
移动学习 职达未来 hqwx.com

自动化仪表工程安装技术（2）

自动化仪表取源部件的安装要求

取源部件的安装，应在工艺设备制造或工艺管道预制、安装的同时进行。安装取源部件的开孔与焊接必须在工艺管道或设备的防腐、衬里、吹扫和压力试验前进行。应避开焊缝及其边缘。在高压，合金钢、有色金属的工艺管道和设备上开孔时，应采用机械加工的方法。在砌体和混凝土浇筑体上安装的取源部件应在砌筑或浇注的同时埋入，当无法做到时，应预留安装孔。当设备及管道有绝热层时，安装的取源部件应露出绝热层外

温度取源部件与管道安装要求：
（1）垂直安装：取源部件轴线应与管道轴线垂直相交
（2）拐弯处安装：逆着物料流向，取源部件轴线应与管道轴线相重合
（3）倾斜角度安装：逆着物料流向，取源部件轴线应与管道轴线相交

压力取源部件在水平和倾斜的管道上安装要求：
（1）测量气体压力：取压点在管道的上半部
（2）测量液体压力：取压点在管道下半部与管道水平中心线成0°~45°夹角范围内
（3）测量蒸汽压力：取压点在管道上半部，或者下半部与管道水平中心线成0°~45°夹角范围内
（在同一管段上时，压力取源部件应安装在温度取源部件的上游侧）

节流装置在水平和倾斜的管道上安装要求：
（1）测量气体流量：取压点在管道的上半部
（2）测量液体流量：取压点在管道下半部与管道水平中心线成0°~45°夹角范围内
（3）测量蒸汽流量：取压点在管道上半部与管道水平中心线成0°~45°夹角范围内

环球网校
移动学习 职达未来 hqwx.com

防腐蚀与绝热工程施工技术

- 金属表面预处理方法
  - （1）在涂装前，表面处理的方法有机械处理、化学处理、电化学处理、脱脂、电化学脱脂、除锈、修正、酸洗、火焰清理、喷射处理等。常用方法有工具清理、机械处理、喷射或抛射处理
  - （2）机械处理包括：喷射、抛丸等
  - （3）化学处理包括：脱脂、化学脱脂、浸泡脱脂、喷淋脱脂、超声波脱脂、转化处理
  - （4）工具清理包括： 手工、动力。手动工具包括钢丝刷、粗砂纸、铲刀、刮刀或类似手工工具。动力工具包括旋转钢丝刷、电动砂轮或除锈机等
  - （5）喷射处理包括：干喷射、湿喷射、喷砂、喷丸、喷粒
  - （6）转化处理包括：磷化、铬酸盐钝化、钝化
- 绝热层施工技术要求★★
  - 当采用一种绝热制品，保温层厚度≥100mm，保冷层厚度≥80mm时，应分为两层或多层逐层施工，各层的厚度宜接近
  - 绝热层施工时，同层应错缝，上下层应压缝，其搭接的长度不宜小于100mm
  - 保温应采用镀锌铁丝或包装钢带进行环向捆扎，保冷应采用不锈钢丝或不锈钢带进行环向捆扎
  - 当电伴热管采用硬质绝热制品保温时，可根据伴热管的多少，现场适当放大制品规格进行保温
  - 设备或管道采用硬质绝热制品时，应留设伸缩缝

环球网校
移动学习 职达未来 hqwx.com

炉窑砌筑工程施工技术（1）

- 耐火材料的种类★
  - 酸性：硅砖、锆英砂砖
  - 碱性：镁砖、镁铝砖、白云石砖【记忆方法：捡白富美】
  - 中性：刚玉砖、高铝砖、碳砖【记忆方法：高中羽坛】
- 工序交接证明书包括的内容
  - （1）炉子中心线和控制标高的测量记录及必要的沉降观测点的测量记录
  - （2）隐蔽工程的验收合格证明
  - （3）炉体冷却装置、管道和炉壳的试压记录及焊接严密性试验验收合格的证明
  - （4）钢结构和炉内轨道等安装位置的主要尺寸的复测记录
  - （5）动态炉窑或炉子的可动部分的试运转合格的证明
  - （6）炉内托砖板和锚固件等的位置、尺寸及焊接质量的检查合格的证明
  - （7）上道工序成果的保护要求

环球网校
移动学习 职达未来 hqwx.com

炉窑砌筑工程施工技术（2）

耐火喷涂料施工的主要技术要求★

（1）喷涂料应采用半干法喷涂，喷涂料加入喷涂机之前，应适当加水润湿，并搅拌均匀

（2）喷涂时，料和水应均匀连续喷射，喷涂面上不允许出现干料或流淌

（3）喷涂方向应垂直于受喷面，喷嘴与喷涂面的距离宜为1～1.5m，喷嘴应不断地进行螺旋式移动，使粗细颗粒分布均匀

（4）喷涂应分段连续进行，一次喷到设计厚度，内衬较厚需分层喷涂时，应在前层喷涂料凝结前喷完次层

烘炉

（1）烘炉应在其生产流程有关的机电设备联合试运转及调整合格后进行。

（2）耐火浇注料内衬应该按规定养护后，才可进行烘炉。

（3）工业炉在投入生产前必须烘干烘透。烘炉前应先烘烟囱及烟道。

（4）烘炉应制定烘炉曲线操作规程。其主要内容包括：烘炉期限、升温速度、恒温时间、最高温度、更换加热系统的温度、烘炉措施、操作规程及应急预案等、烘炉后需降温的炉窑，在烘炉曲线中应注明降温速度。

（5）烘炉必须按烘炉曲线进行。烘炉过程中，应测定和测绘实际烘炉曲线。烘炉时应做详细记录

环球网校
移动学习 职达未来 hqwx.com

建筑管道工程施工技术

建筑管道工程的划分和施工程序★

室内给水管道工程施工程序：
施工准备→材料验收→配合土建预留、预埋→管道测绘放线→管道支架制作→管道加工预制→管道支架安装→给水设备安装→管道及器具安装→系统压力试验→防腐绝热→系统冲洗、消毒

建筑管道的施工技术要求

供暖管道安装坡度应符合设计及规范的规定，其坡向应利于管道的排气和泄水：
（1）汽、水同向流动的热水供暖管道和汽、水同向流动的蒸汽管道及凝结水管道，坡度应为3‰，不得小于2‰
（2）汽、水逆向流动的热水供暖管道和汽、水逆向流动的蒸汽管道，坡度不小于5‰

管道系统试验

试验的类型主要分为：（1）压力试验（承压管）；（2）灌水试验（非承压管）；（3）通水试验（排水干管）；（4）通球试验；（5）消火栓试射试验【工业管道：压力、泄漏性、真空度试验】

管道防腐绝热

- 防腐方法：涂漆、衬里、静电保护、阴极保护
- 绝热类型：保温、保冷、加热保护

环球网校
移动学习 职达未来 hqwx.com

建筑电气工程施工技术要求（1）

母线槽的施工技术要求★★

（1）母线槽安装前，应测量每节母线槽的绝缘电阻值，且应不小于20MΩ

（2）多根母线槽并列水平或垂直敷设时，各相邻母线槽间应预留维护、检修距离。插接箱外壳应与母线槽外壳连通，接地良好

（3）水平安装时，支架间距不应大于2m，每节母线槽的支架不应少于1个，转弯处应增设支架加强；垂直安装时应设置弹簧支架

（4）每段母线槽的金属外壳间应可靠连接，母线槽全长与保护导体可靠连接不应少于2处

（5）母线槽安装完毕后，应对穿越防火墙和楼板的孔洞进行防火封堵

灯具安装技术要求

（1）灯具安装应牢固可靠，采用预埋吊钩、膨胀螺栓等安装固定，在砌体和混凝土上严禁使用木楔、尼龙塞或塑料塞固定。固定件的承载能力应与电气照明灯具的重量相匹配

（2）灯具的接线应牢固，电气接触应良好。螺口灯头的接线，相线应接在中心触点端子上，中性线应接在螺纹的端子上

（3）Ⅰ类灯具外露可导电部分必须用铜芯软线与保护导体可靠连接，连接处应设置接地标识，铜芯软导线的截面积应与进入灯具的电源线截面积相同

（4）当吊灯灯具重量超过3kg时，应采取预埋吊钩或螺栓固定

（5）质量大于10kg的灯具的固定及悬吊装置应按灯具重量的5倍做恒定均布载荷强度试验，持续时间不得少于15min

环球网校
移动学习 职达未来 hqwx.com

建筑电气工程施工技术要求（2）

- 防雷装置施工技术要求★★★
  - 接闪器的施工技术要求
    - （1）接闪杆的施工技术要求：
      1）接闪杆材料要求，一般用热浸镀锌（或不锈钢）圆钢和热浸镀锌钢管（或不锈钢管）制成
      2）接闪杆与引下线之间的连接应采用焊接。引下线及接地装置使用的紧固件，都应使用镀锌制品
      3）建筑物上的接闪杆应和建筑物的防雷金属网连接成一个整体。独立接闪杆设置独立的接地装置时，其接地装置与其他接地网的地中距离不应小于3m
    - （2）接闪带（网）的施工技术要求：
      1）接闪带应采用热镀锌钢材。接闪带一般使用40mm×4mm的镀锌扁钢或Φ12mm的镀锌圆钢制作
      2）接闪带之间的连接应采用搭接焊接。焊接处焊缝应饱满并有足够的机械强度，不得有夹渣、咬肉、裂纹、虚焊、气孔等缺陷，焊接处的药皮清除后，刷防锈漆和银粉漆或喷锌做防腐处理
      3）接闪带的搭接长度规定：扁钢之间搭接为扁钢宽度的2倍，三面施焊；圆钢之间搭接为圆钢直径的6倍，双面施焊；圆钢与扁钢之间搭接为圆钢直径的6倍，双面施焊
  - 防雷引下线的施工技术要求
    - 引下线可利用建筑物内的钢梁、钢柱、混凝土柱内钢筋、消防梯等金属构件作为自然引下线
- 接地装置施工技术要求
  - 接地体的施工技术要求
  - 接地线的施工技术要求

环球网校
移动学习 职达未来 hqwx.com

通风与空调工程的划分和施工程序

- 风管系统制作安装的施工技术要求
  - 金属风管板材的拼接采用咬口连接、铆接、焊接连接等方法，风管与风管连接采用法兰连接、薄钢板法兰连接等
  - 风管安装就位的程序通常为先上层后下层，先主干管后支管，先立管后水平管
  - 风管穿过需要封闭的防火防爆楼板或墙体时采取的措施：应设钢板厚度不小于1.6mm的预埋管或防护套管，风管与防护套管之间应采用不燃柔性材料封堵，风阀安装方向应正确、便于操作，启闭灵活。边长（直径）大于或等于630mm的防火阀或边长（直径）大于1250mm的弯头和三通应设置独立的支吊架
  - 风管系统安装完成后，应对安装后的主、干风管分段进行严密性试验。严密性检验，主要检验风管、部件制作加工后的咬口缝、铆接孔、风管的法兰翻边、风管管段之间的连接严密性，检验合格后方能交付下道工序
- 空调水系统的施工技术要求
  - 管道穿过地下室或地下构筑物外墙时应采取防水措施，对有严格防水要求的建筑物，必须采取柔性防水套管。管道穿楼板和墙体处应设置套管，设置在墙体内的套管应与墙体两侧饰面相平；设置在楼板的套管，其底部与楼板底部平齐，顶部应高出装饰面20~50mm

环球网校
移动学习 职达未来 hqwx.com

通风与空调工程的施工技术要求

通风与空调系统调试的技术要求★★★

（1）通风与空调系统安装完毕投入使用前，应进行系统调试，系统调试应包括设备的单机试运转与调试、系统非设计满负荷条件下的联合试运转及调试

系统非设计满负荷条件下的联合试运转及调试应在设备单机试运转合格后进行

（2）通风系统的连续试运行应不少于2h，空调系统带冷（热）源的连续试运行应不少于8h。联合试运行及调试不在制冷期或供暖期时，仅做不带冷（热）源的试运行及调试，并在第一个制冷期或供暖期内补做

（3）系统非设计满负荷条件下的联合试运转及调试内容：

1）监测与控制系统的检验、调整与联动运行；2）系统风量的测定和调整（通风机、风口、系统平衡）；3）空调水系统的测定和调整；4）室内空气参数的测定和调整；5）防排烟系统测定和调整。防排烟系统测定风量、风压及疏散楼梯间等处的静压差，并调整至符合设计与消防的规定

（4）系统非设计满负荷条件下的联合试运转及调试应符合下列规定：

1）系统总风量调试结果与设计风量的偏差不应大于-5%～+10%；建筑内各区域的压差应符合设计要求

2）变风量空调系统联合调试应符合下列规定：

①系统空气处理机组应能在设计参数范围内对风机实现变频调速

②空气处理机组在设计机外余压条件下，系统总风量应满足风量偏差不应大于-5%-～+10%的要求；新风量与设计新风量的允许偏差为0～+10%

③各变风量末端装置的最大风量调试结果与设计风量的偏差不应大于0～+15%

3）空调冷（热）水系统、冷却水系统总流量与设计流量的偏差不应大于10%

洁净空调工程施工技术要求★

洁净空调系统制作风管的刚度和严密性，均按高压和中压系统的风管要求进行。其中，洁净度等级N_1级至N_5级的，按高压系统的风管制作要求；洁净度等级N_6级至N_9级，且工作压力小于等于1500Pa的，按中压系统的风管制作要求

净化空调系统的检测和调整应在系统正常运行24h及以上，达到稳定后进行。工程竣工洁净室（区）洁净度的检测，应在空态或静态下进行。检测时，室内人员不宜多于3人，并应穿着与洁净室等级相适应的洁净工作服

环球网校
移动学习 职达未来 hqwx.com

建筑智能化工程的划分和施工程序

建筑智能化产品选择时应考虑的因素

(1)产品的品牌和生产地、应用实践以及供货渠道和供货周期等信息
(2)产品支持的系统规模及监控距离
(3)产品的网络性能及标准化程度

设备、材料采购和验收★

(1)设备、材料的采购中要明确智能化系统承包方和被监控设备承包方之间的设备供应界面划分。主要是明确建筑设备监控系统与机电工程的设备、材料的供应范围
(2)设备、材料应附有产品合格证，质检报告，安装、使用及维护说明书等；进口设备应提供原产地证明、商检证明、质量合格证明、检测报告、安装使用及维护说明书的中文文本
(3)检查设备、材料的品牌、产地、型号、规格、数量及外观，主要技术参数和性能等均能符合设计要求，外表无损伤，填写进场验收记录，并封存相关器件和线缆样品
(4)线缆进场检测，应抽检电缆的电气性能指标；光纤进场检测，应抽检光缆的光纤性能指标；并做好记录
(5)设备的质量检测重点应包括安全性、可靠性及电磁兼容性等项目。对不具备现场检测条件的设备材料，可要求第三方检测并出具检测报告
(6)建筑设备监控系统与变配电设备、发电机组、冷水机组、热泵机组、锅炉和电梯等大型建筑设备实现接口方式的通信，必须预先约定通信协议

环球网校
移动学习 职达未来 hqwx.com

消防工程的施工技术要求

水灭火系统施工要求

（1）室内消火栓栓口出水方向宜向下或与设置消火栓的墙面成90°角，栓口不应安装在门轴侧

（2）室内消火栓栓口中心距地面应为1.1m，特殊地点的高度可特殊对待，允许偏差±20mm

（3）自动喷水灭火系统的喷头安装应在系统试压、冲洗合格后进行

（4）雨淋报警阀组的安装应在供水管网试压、冲洗合格后进行

（5）消防给水管网安装完毕后，应对其进行强度试验、冲洗和严密性试验

（6）消火栓系统的调试应包括：水源调试和测试；消防水泵调试；稳压泵或稳压设施调试；减压阀调试；消火栓调试；自动控制探测器调试；干式消火栓系统的报警阀等快速启闭装置调试，并应包含报警阀的附件电动或电磁阀等阀门的调试；排水设施调试；联锁控制试验

（7）自动喷水灭火系统的调试应包括：水源测试；消防水泵调试；稳压泵调试；报警阀调试；排水设施调试；联动试验

防烟排烟系统施工要求

（1）防火风管的本体、框架与固定材料、密封材料必须为不燃材料，其耐火等级应符合设计要求

（2）排烟防火阀的安装位置、方向应正确，阀门应顺气流方向关闭，防火分区隔墙两侧的防火阀，距墙表面应不大于200mm

（3）排烟防火阀宜设独立支吊架

（4）防排烟系统的柔性短管必须采用不燃材料

（5）风管系统安装完成后，应进行严密性检验；防排烟风管的允许漏风量应按中压系统风管确定

环球网校
移动学习 职达未来 hqwx.com

消防工程的验收要求

消防工程验收的相关规定 ★★★

具有下列情形之一的场所，建设单位应当向本行政区域内地方人民政府住房和城乡建设主管部门申请消防设计审查，并在建设工程竣工后向消防设计审查验收主管部门申请消防验收：

（1）>20000㎡的体育场馆、会堂、公共展览馆、博物馆的展示厅【大型场馆】

（2）>15000㎡的民用机场航站楼、客运车站候车室、客运码头候船厅【交通】

（3）>10000㎡的宾馆、饭店、商场、市场【宾饭商市】

（4）>2500㎡的影剧院，图书馆，健身、休闲馆，医院门诊，大学教学楼、图书馆、食堂，劳动密集型企业的生产加工车间，寺庙、教堂【休闲医院大学车间教堂】

（5）>1000㎡的托儿所、幼儿园，儿童游乐厅，养老院、福利院，医院、疗养院病房，中小学校的教学楼、图书馆、食堂，集体宿舍，劳动密集集体宿舍【幼童老病中小学宿】

（6）>500㎡的歌舞厅、录像厅、放映厅、卡拉OK厅、夜总会、游艺厅、桑拿浴室、网吧、酒吧，有娱乐的餐馆、茶馆、咖啡厅【厅会室吧】

（7）国家工程建设消防技术标准规定的一类高层住宅建筑

（8）城市轨道交通、隧道工程，大型发电、变配电工程

（9）生产、储存、装卸易燃易爆危险物品的工厂、仓库和专用车站、码头，易燃易爆气体和液体的充装站、供应站、调压站

（10）国家机关办公楼、电力调度楼、电信楼、邮政楼、防灾指挥调度楼、广播电视楼、档案楼

（11）设有本条第1项到第6项所列情形的建设工程。

（12）本条第10项、第11项规定以外的单体建筑面积大于40000㎡或者建筑高度超过50m的其他公共建筑

环球网校
移动学习 职达未来 hqwx.com

特殊建设工程消防验收条件和应提交的资料

消防验收的条件★★

消防验收的条件：

（1）完成工程消防设计和合同约定的消防各项内容

（2）有完整的工程消防技术档案和施工管理资料（含涉及消防的建筑材料、建筑构配件和设备的进场试验报告）

（3）建设单位对工程涉及消防的各分部分项工程验收合格；施工、设计、工程监理、技术服务等单位确认工程消防质量符合有关标准

（4）消防设施性能、系统功能联调联试等内容检测合格

消防验收应提交的资料★★

建设单位申请消防验收应当提供下列材料：

（1）消防验收申报表

（2）工程竣工验收报告

（3）涉及消防的建设工程竣工图纸

环球网校
移动学习 职达未来 hqwx.com

电梯工程施工技术

- 电梯的分类和组成★
  - 按机械驱动方式分类：可分为曳引式电梯、强制式电梯、液压电梯和齿轮齿条电梯
  - 电梯一般由机房、井道、轿厢、层站四大部位组成
  - 电梯由曳引系统、导向系统、轿厢系统、门系统、重量平衡系统、驱动系统、控制系统、安全保护系统等组成

环球网校
移动学习 职达未来 hqwx.com

电梯工程的验收要求

书面告知应提交的材料★★

（1）《特种设备安装改造维修告知单》
（2）施工单位及人员资格证件
（3）施工组织与技术方案
（4）工程合同
（5）安装监督检验约请书
（6）电梯制造单位的资质证件

自动扶梯土建交接检验★★★

（1）踏板或胶带上空，垂直净高度严禁小于2.3m
（2）栏井道周围设置杆或屏障，高度严禁小于1.2m
（3）根据商品供应商要求提供设备进场的通道搬运空间
（4）在安装之前，施工单位提供明显的水平基准线标识

电梯停止运行★★★

在无控制电压、电路接地的故障、过载时，必须自动停止运行。
在下列情况中的停止运行， 必须通过安全触点或安全电路来完成开关的断开：
（1）控制装置在超速和运行方向非操纵逆转下动作
（2）附加制动器动作
（3）直接驱动梯级、踏板或胶带的部件断裂或过分伸长
（4）驱动装置与转向装置之间的距离缩短
（5）梯级、踏板或胶带进入梳齿板处有异物夹住，且产生损坏梯级、踏板或胶带支撑结构
（6）无中间出口的连续安装的多台自动扶梯、自动人行道中的一台停止运行
（7）扶手带入口保护装置动作

环球网校
移动学习 职达未来 hqwx.com

机电工程施工招标投标管理

- 施工招标投标范围和要求★★
  - （1）必须招标的机电工程项目：1）全部或者部分使用国有资金投资或国家融资的项目；2）使用国际组织或者外国政府贷款、援助资金的项目；3）不属于1）、2）规定情形的大型基础设施、公用事业等关系社会公共利益、公共安全的项目，必须招标的具体范围由发改委会同国务院有关部门制定，报国务院批准；4）上述1）~3）条规定范围内的项目，其勘察、设计、施工、监理以及与工程建设有关的重要设备、材料等的采购达到下列标准之一的，必须招标：第一，施工单项合同估算价在400万元人民币以上；第二，重要设备、材料等货物的采购，单项合同估算价在200万元人民币以上。第三，勘察、设计、监理等服务的采购，单项合同估算价在100万元人民币以上。同一项目中可合并进行的勘察、设计、施工、监理以及与工程建设有关的重要设备、材料等的采购，合同估算价合计达到前款规定标准的，必须招标
  - （2）招标人对已发出的招标文件进行必要的澄清或修改。澄清或者修改的内容可能影响资格预审申请文件或者投标文件编制的，招标人应当在提交资格预审申请文件截止时间至少3日前，或者投标截止时间至少15日前，以书面形式通知所有获取资格预审文件或者招标文件的潜在投标人；不足3日或者15日的，招标人应当顺延提交资格预审申请文件或者投标文件的截止时间。该澄清或者修改的内容为招标文件的组成部分
- 施工投标的条件与程序★★
  - 电子招投标活动是指以数据电文形式，依托电子招标投标系统完成的全部或者部分招标投标交易、公共服务和行政监督活动。电子招标投标系统根据功能的不同，分为交易平台、公共服务平台和行政监督平台

环球网校
移动学习 职达未来 hqwx.com

机电工程施工合同管理

施工分包合同的实施★★

施工分包合同的履行与管理：

（1）总承包方对分包方及分包工程施工，应从施工准备、进场施工、工序交验、竣工验收、工程保修以及技术、质量、安全、进度、工程款支付等进行全过程的管理（提示：时间+内容）

（2）总承包方应派代表对分包方进行管理，并对分包工程施工进行有效控制和记录，保证分包合同的正常履行，以保证分包工程的质量和进度满足工程要求，从而保证总承包方的利益和信誉

（3）总承包方或其主管部门应及时检查、审核分包方提交的分包工程施工组织设计、施工技术方案、质量保证体系和质量保证措施、安全保证体系及措施、施工进度计划、施工进度统计报表、工程款支付申请、隐蔽工程验收报告、竣工交验报告等文件资料，提出审核意见并批复

（4）分包方对开工、关键工序交验、竣工验收等过程经自行检验合格后，均应事先通知总承包方组织预验收，认可后再由总承包方代表通知业主组织检查验收

施工合同变更与索赔★★

索赔发生的原因

（1）合同对方违约：不履行或未能正确履行合同义务与责任；（2）合同条文问题：合同条文不全、错误、矛盾，设计图纸、技术规范错误等；（3）合同变更；（4）工程环境变化：包括法律、物价和自然条件的变化等；（5）不可抗力因素：如恶劣气候条件、地震、洪水，战争状态等

索赔成立的前提条件

（1）与合同对照，事件已造成了承包商工程项目成本的额外支出，或直接工期损失

（2）造成费用增加或工期损失的原因，按合同约定不属于承包商的行为责任或风险责任

（3）承包商按合同规定的程序和时间提交索赔意向通知和索赔报告

环球网校
移动学习 职达未来 hqwx.com

机电工程施工组织设计

施工组织编制要求★★★

施工组织设计的类型：（1）施工组织总设计；（2）单位工程施工组织设计；（3）分部（分项）工程施工组织设计；（4）临时用电施工组织设计

施工组织设计动态管理：
项目施工过程中，发生下列情况之一时，施工组织设计应进行修改或补充：
（1）工程设计有重大修改
（2）有关法律、法规、规范和标准实施、修订和废止
（3）主要施工方法有重大调整
（4）主要施工资源配置有重大调整
（5）施工环境有重大改变

施工方案实施★★

（1）工程施工前，施工方案的编制人员应向施工作业人员作施工方案的技术交底
（2）除分部（分项）、专项工程的施工方案需进行技术交底外，新产品、新材料、新技术、新工艺即“四新”项目以及特殊环境、特种作业等也必须向施工作业人员交底（提示：2项2特4新）
（3）交底内容为该工程的施工程序和顺序、施工工艺、操作方法、要领、质量控制、安全措施、环境保护措施等

环球网校
移动学习 职达未来 hqwx.com

人力资源管理的要求

- 特种作业人员要求★★
  - 定义：指直接从事特殊种类作业的从业人员、国家安全生产监督机构规定的特种作业人员中，机电安装企业有焊工、起重工、电工、场内运输工（叉车工）、架子工等
- 无损检测人员的级别★★
  - 无损检测人员的级别分为：I级（初级）、II级（中级）、III级（高级）
  - （1）I级人员可进行无损检测操作，记录检测数据，整理检测资料
  - （2）II级人员可编制一般的无损检测程序，并按检测工艺独立进行检测操作，评定检测结果，签发检测报告
  - （3）III级人员可根据标准制无损检测工艺，审核或签发检测报告，解释检测结果，仲裁II级人员对检测结论的技术争议
  - （4）持证人员只能从事与其资格证级别、方法相对应的无损检测工作

环球网校
移动学习 职达未来 hqwx.com

工程材料管理的要求

- 进场验收要求★
  - （1）在材料进场时必须根据进料计划、送料凭证、质量保证书或产品合格证，进行材料的数量和质量验收
  - （2）验收工作按质量验收规范和计量检测规定进行
  - （3）验收内容包括材料品种、规格、型号、质量、数量、证件等
  - （4）验收要做好记录、办理验收手续
  - （5）要求复检的材料应有取样送检证明报告
  - （6）对不符合计划要求或质量不合格的材料应拒绝接收
- 施工机械设备操作人员的要求
  - （1）严格按照操作规程作业，搞好设备日常维护，保证机械设备安全运行
  - （2）特种作业严格执行持证上岗制度并审查证件的有效性和作业范围
  - （3）逐步达到本级别"四懂三会"（四懂：懂性能、懂原理、懂结构、懂用途；三会：会操作、会保养、会排除故障）的要求
  - （4）做好机械设备运行记录，填写项目真实、齐全、准确

环球网校
移动学习 职达未来 hqwx.com

施工技术资料与竣工档案管理

- 建设工程项目资料的分类
  - （1）建设工程项目的资料主要包括：工程准备阶段文件、监理文件、施工文件、竣工图与竣工验收文件
  - （2）机电工程项目施工技术文件：
    - 1）施工技术资料是施工资料的重要组成部分
    - 2）施工技术资料的内容包括：工程技术文件报审表、施工组织设计及施工方案、危险性较大的分部分项工程施工方案、技术交底记录、图纸会审记录、设计交底记录、设计变更文件、工程洽商记录、技术核定单等
- 机电工程项目竣工档案的主要内容
  - （1）一般施工记录包括：施工组织设计、（专项）施工方案、技术交底、施工日志
  - （2）图纸变更记录包括：图纸会审记录、设计变更记录、工程洽商记录
  - （3）设备、产品及物资质量证明、检查、安装记录包括：设备、产品及物资质量合格证、质量保证书、检测报告等；设备装箱单、商检证明和说明书、开箱报告；设备安装记录；设备试运行记录，设备明细表
  - （4）预检、复检、复测记录
  - （5）各种施工记录，如隐蔽工程检查验收记录、施工检查记录、交接检查记录等
  - （6）施工试验、检测记录。包括电气接地电阻、绝缘电阻等测试记录以及试运行记录等
  - （7）质量事故处理记录
  - （8）施工质量验收记录包括：检验批质量验收记录、分项工程质量验收记录、分部（子分部）工程质量验收记录、单位工程验收记录等
  - （9）其他需要向建设单位移交的有关文件和实物照片及音像、光盘等

环球网校
移动学习 职达未来 hqwx.com

机电工程施工进度管理

- 单位工程施工进度计划实施★★
  - 作业进度计划应具体体现施工顺序安排的合理性，即满足先地下后地上、先深后浅、先干线后支线、先大件后小件等基本要求
- 施工进度的监测与调整★
  - 施工进度偏差分析
    - （1）分析有进度偏差的工作是否为关键工作
    - （2）分析进度偏差是否大于总时差
    - （3）分析进度偏差是否大于自由时差
  - 施工进度控制的主要措施
    - （1）组织措施：例如建立施工进度协调会议制度，包括协调会议举行的时间、地点、参加人员等
    - （2）合同措施
    - （3）经济措施
    - （4）技术措施

环球网校
移动学习 职达未来 hqwx.com

施工质量预控

- 质量控制方案一般包括工序名称、可能出现的质量问题、提出质量预控措施等三部分内容
- 质量控制点的设置★★
  - 质量控制点是指对工程的性能、安全、寿命、可靠性等有严重影响的关键部位或对道工序有严重影响的关键工序。其确定的一般原则是：
  （1）施工过程中的关键工序或环节，如电气装置的高压电器和电力变压器、钢结构的梁柱板节点、关键设备的设备基础、压力试验、垫铁敷设等
  （2）工序的关键质量特性，如焊缝的无损检测，设备安装的水平度和垂直度偏差等
  （3）施工中的薄弱环节或质量不稳定的工序，如焊条烘干，坡口处理等
  （4）关键质量特性的关键因素，如管道安装的坡度、平行度的关键因素是施工人员，冬季焊接施工的焊接质量关键因素是环境温度等
  （5）对后续工程（后续工序）施工质量或安全有重大影响的工序、部位或对象
  （6）隐蔽工程
  （7）采用新工艺、新技术、新材料的部位或环节

环球网校
移动学习 职达未来 hqwx.com

施工工序质量检测

施工质量的三级检查制度（三检制）★★★

（1）操作者的“自检”：指由施工人员对自己的施工作业或已完成的分项工程进行自我检验，实施自我控制、自我把关，及时消除异常因素，以防止不合格产品进入下道作业

（2）施工人员之间的“互检”（交接检）：指操作人员之间对所完成的作业或分项工程进行的相互检查，是对自检的一种复核和确认，起到相互监督的作用。互检的形式可以是同组操作人员之间的相互检验，也可以是班组的质量检查员对本班组操作人员的抽检，同时也可以是下道作业对上道作业的交接检验

（3）专职质量检验人员“专检”：是指质量检验员对分部、分项工程进行检验，用以弥补自检、互检的不足

【注1】自检（操作人员自己）、互检（同组操作人员之间、班组质量检查员之间）、专检（专职检验人员）

【注2】一般情况下，原材料、半成品、成品的检验以专检为主

【注3】生产过程的各项作业的检验则以施工现场操作人员的自检、互检为主，专职检验人员巡回抽检为辅。成品的质量必须进行终检认证

环球网校
移动学习 职达未来 hqwx.com

施工质量问题和质量事故的处理

- 工程质量事故问题的划分和定义★★
  - （1）质量不合格。凡工程产品没有满足某个规定的要求为质量不合格。没有满足某个预期使用要求或合理的期望（包括安全性方面）要求，为质量缺陷
  - （2）质量问题。凡是工程质量不合格，必须进行返修、加固或报废处理，造成直接经济损失不大的（如100万以下的经济损失），为质量问题，由企业自行处理
  - （3）质量事故。凡是工程质量不合格，必须进行返修、加固或报废处理，造成直接经济损失较大（如100万以上）的为质量事故
- 质量事故处理程序
  - 事故报告→现场保护→事故调查→撰写质量事故调查报告→事故处理报告
- 工程质量事故的处理方式★★★
  - （1）返工处理
  - （2）返修处理
  - （3）限制使用
  - （4）不作处理
  - （5）报废处理

环球网校
移动学习 职达未来 hqwx.com

施工质量问题和质量事故的处理

工程质量事故分级★★★

分级	死亡	重伤	直接经济损失
特别重大事故	30 人以上	100 人以上	1 亿元以上
重大事故	10～30 人	50～100 人	5000 万～1 亿元
较大事故	3～10 人	10～50 人	1000～5000 万
一般事故	3 人以下	10 人以下	100～1000 万

工程质量事故的处理方式★★★

（1）返工处理
（2）返修处理
（3）限制使用
（4）不作处理
（5）报废处理

环球网校
移动学习 职达未来 hqwx.com

施工现场职业健康安全管理要求★★

- 项目部施工安全实施要点
  - （1）项目经理应为工程项目安全生产第一责任人，应负责分解落实安全生产责任，实施考核奖惩，实现项目安全管理目标
  - （2）项目总工程师对本工程项目的安全生产负技术责任。工程项目施工前，应组织编制施工组织设计、专项施工方案（措施），内容应包括工程概况、编制依据、施工计划、施工工艺、施工安全技术措施、检查验收内容及标准、计算书及附图等
- 安全技术交底制度★★
  - （1）工程开工前，工程技术人员要将工程概况、施工方法、安全技术措施等向全体职工详细交底
  - （2）安全技术交底可以分为：施工工种安全技术交底，分项、分部工程施工安全技术交底，采用新技术、新设备、新材料、新工艺施工的安全技术交底

环球网校
移动学习 职达未来 hqwx.com

施工安全技术措施

施工安全技术措施的制定

安全管理计划应包括下列内容：
（1）确定项目重要危险源，制定项目职业健康安全管理目标
（2）建立有管理层次的项目安全管理组织机构并明确职责
（3）根据项目特点，进行职业健康安全方面的资源配置
（4）建立具有针对性的安全生产管理制度和职工安全教育培训制度
（5）针对项目重要危险源，制定相应的安全技术措施；对达到的危险性较大的分部（分项）工程和特殊工种的作业应制订专项安全技术措施的编制计划
（6）根据季节、气候的变化，制定相应的季节性安全施工措施
（7）建立现场安全检查制度，并对安全事故的处理做出相应规定

吊装作业的安全技术措施

操作要求：
（1）流动式起重机吊装过程中，应重点监测以下部位的变化情况：1）吊点及吊索具受力；2）起升卷扬机及变幅卷扬机；3）超起系统工作区域；4）起重机吊装主要参数仪表显示变化情况（吊臂长度、工作半径、仰角、载荷及负载率等）；5）吊装安全距离；6）起重机水平度及地基变化情况等
（2）对起吊物进行移动、吊升、停止、安装时的全过程应用旗语或通用手势信号进行指挥，信号不明不得起动，上下相互协调联系应采用无线通信设备（如：对讲机）
（3）已安装好的结构构件，未经有关设计和技术部门批准不得用作受力支承点和在构件上随意凿洞开孔。不得在其上堆放超过设计荷载的施工荷载
（4）设备就位后，应及时固定。经吊装指挥确认同意后，方可拆除吊装索具
（5）吊装结束后，应及时清理现场

环球网校
移动学习 职达未来 hqwx.com

生产安全事故等级划分

分级	死亡	重伤	直接经济损失
特别重大事故	30 人以上	100 人以上	1 亿元以上
重大事故	10～30 人	50～100 人	5000 万～1 亿元
较大事故	3～10 人	10～50 人	1000～5000 万
一般事故	3 人以下	10 人以下	1000 万

环球网校
移动学习 职达未来 hqwx.com

机电工程施工安全管理

施工安全应急预案

生产经营单位应急预案分为：综合应急预案、专项应急预案、现场处置方案

施工现场安全事故处理

（1）生产安全事故：根据生产安全事故造成的人员伤亡或者直接经济损失，生产安全事故一般分4个等级：特别重大事故、重大事故、较大事故、一般事故

（2）事故报告程序

1）事故发生后，事故现场有关人员应立即向本单位负责人报告。单位负责人接到报告后，应当在1个小时内向事发地县级以上人民政府安全生产监督管理部门和负有安全生产监督管理职责的有关部门报告

2）情况紧急时，事故现场有关人员可以直接向事发地县级以上人民政府安全生产监督管理部门和负有安全生产监督管理职责的有关部门报告。报告时间：立即（现场向单位）、1小时（单位向政府）

（3）报告事故的内容（类比写检讨、5W1H）

1）事故发生单位概况；2）事故发生的时间、地点以及施工现场情况；3）事故的简要经过；4）事故已经造成或者可能造成的伤亡人数（包括下落不明的人数）和初步估计的直接经济损失；5）已经采取的措施；6）其他应报告的情况

（4）事故调查

1）特大事故由国务院或由国务院授权有关部门组织事故调查组进行调查，重大事故、较大事故、一般事故分别由省级、市级、县级人民政府负责调查

2）未造成人员伤亡的一般事故，县级人民政府也可委托事故发生单位组织调查组进行调查

环球网校
移动学习 职达未来 hqwx.com

沟通协调

- 内部沟通协调的主要对象★
  - （1）项目经理部所设置的各个部门：工程管理部门、质量监督部门、安全监督部门、技术部门、经营管理部门、人力资源管理部门、劳务管理部门、材料设备管理部门、财务部门、后勤及保卫部门
  - （2）项目部各专业施工队
  - （3）各专业分包队伍
- 外部沟通协调的主要对象
  - （1）有直接或间接合同关系的单位：业主（建设单位、管理单位）、监理单位、材料设备供应、施工机械出租单位等
  - （2）有洽谈协商记录的单位：设计单位、土建单位、其他安装工程承包单位、供水单位、供电单位
  - （3）工程监督检查单位：安监、质监、特检、消防、海关（若有引进的设备、材料）、劳动和税务等单位
  - （4）经委托的检验、检测、试验单位
  - （5）项目驻地生活相关单位：居民（村民）、公安、医疗、电力等单位

环球网校
移动学习 职达未来 hqwx.com

机电工程施工成本管理

- 施工成本控制的依据★
  - 合同文件、成本计划、进度报告、工程变更与索赔资料、各种资源的市场信息
- 施工成本计划的实施
  - 项目施工成本控制的方法：
    （1）以施工图控制成本
    （2）安装工程费的动态控制
    （3）工期成本的动态控制
    （4）施工成本偏差控制
    实际偏差=计划成本-实际成本
    计划偏差=预算成本-计划成本
- 降低施工成本的措施★★
  - 组织措施、技术措施、经济措施、合同措施、

环球网校
移动学习 职达未来 hqwx.com

机电工程项目试运行管理

试运行阶段的划分：分为单机试运行、联动试运行、负荷试运行（或称投料试运行、试生产）等阶段

试运行条件 ★★★

工程中间交接完成包括的内容：
（1）工程质量验收合格
（2）“三查四定”（三查：查设计漏项、未完工程、工程质量隐患；四定：对查出的问题定任务、定人员、定时间、定措施）的问题整改消缺完毕，遗漏尾项已处理完
（3）影响投料的设计变更项目已施工完
（4）现场清洁，施工用临时设施已全部拆除，无杂物，无障碍

试运行要求 ★★

单机试运行结束后，应及时完成的工作：
（1）切断电源和其他动力源
（2）放气、排水、排污和防锈涂油
（3）对蓄势器和蓄势腔及机械设备内剩余压力卸压
（4）对润滑剂的清洁度进行检查，清洗过滤器；必要时更换新的润滑剂
（5）拆除试运行中的临时装置和恢复拆卸的设备部件及附属装置。对设备几何精度进行必要的复查，各紧固部件复紧
（6）清理和清扫现场，将机械设备盖上防护罩
（7）整理试运行的各项记录。试运行合格后由参加单位在规定表格上共同签字确认

环球网校
移动学习 职达未来 hqwx.com

机电工程施工结算与竣工验收

工程竣工结算的前提条件

（1）该项目已完工，并已经过验收签证，交工资料已整理汇总完毕，经有关方面签字认可

（2）根据全部的施工图编制的施工图预算已编制完毕

（3）设计变更和现场变更所发生的技术核定单和现场用工签证手续已办理完毕

（4）因建设单位原因造成施工单位人员窝工、机具闲置、工期延误等经济索赔已得到建设单位认可

（5）在施工过程中有关工程造价的政策性调整文件收集完整，相应应予调整的工程造价已编制完毕

竣工验收的条件★

（1）主体工程、辅助工程和公用设施，基本按设计文件要求建成，能够满足生产或使用的需要

（2）生产性项目的主要工艺设备及配套设施，经联动负荷试车合格（或试运行合格），形成生产能力，能够生产出设计文件中规定的合格产品

（3）环境保护、消防、劳动安全卫生符合规定

（4）编制完成竣工决算报告，并经批准

（5）建设项目的档案资料齐全、完整，符合建设项目档案验收规定

竣工工程技术资料★★

（1）工程前期及竣工文件材料

（2）工程项目合格证，施工试验报告

（3）施工记录资料：包括图纸会审记录、设计变更单、隐蔽工程验收记录；定位放线记录；质量事故处理报告及记录；特种设备安装检验及验收检验报告；分项工程使用功能检测记录等

（4）单位工程、分部工程、分项工程质量验收记录

（5）竣工图

环球网校
移动学习 职达未来 hqwx.com

机电工程保修与回访

- 保修期限★★★
  - （1）建设工程的保修期自竣工验收合格之日起计算
  - （2）电气管线、给水排水管道、设备安装工程：二年
  - （3）供热和供冷系统：二个供暖期或二个供冷期
  - （4）其他项目的保修期：发包方与承包方约定
- 工程项目回访的方式★★
  - 季节性回访：例如冬季重点回访供暖工程运行情况，夏季回访防水工程和通风空调工程运行情况。发现问题应采取有效措施，及时加以解决
  - 技术性回访：主要在工程施工过程中所采用的新材料、新技术、新工艺、新设备等的技术性能和使用后的效果，发现问题及时加以补救和解决，同时也便于总结经验，获取科学依据，不断改进完善，为进一步推广创造条件。（可定期，也可不定期进行）

环球网校
移动学习 职达未来 hqwx.com

计量的相关规定

- 强制检定★★
  - 必须定期送由法定或授权的计量检定机构检定强制检定的计量器具范围有：
    （1）社会公用计量标准器具
    （2）部门和企业、事业单位使用的最高计量标准器具
    （3）用于贸易结算、安全防护、医疗卫生、环境监测的计量器具
- 使用企业、事业单位计量标准器具，必须具备的条件★★
  - （1）经计量检定合格
    （2）具有正常工作所需要的环境条件
    （3）具有称职的保存、维护、使用人员
    （4）具有完善的管理制度
- A类计量器具范围★★
  - （1）施工企业最高计量标准器具和用于量值传递的工作计量器具，例如：一级平晶、零级刀口尺、水平仪检具、直角尺检具、百分尺检具、百分表检具、千分表检具、自准直仪、立式光学计、标准活塞式压力计等
    （2）列入国家强制检定目录的工作计量器具，例如：电能表、接地电阻测量仪、声级计等

环球网校
移动学习 职达未来 hqwx.com

建设用电及施工的相关规定

用电计量装置使用规定★

（1）用电计量装置属强制检定范畴，应由省级计量行政主管部门依法授权的检定机构进行检定合格，方为有效

（2）用电计量装置的设计应征得当地供电部门认可，施工单位应严格按施工设计图纸进行安装，并符合相关现行国家标准或规范。安装完毕应由供电部门检查确认

（3）供电企业在新装、换装及现场校验后应对用电计量装置加封，并请用户在工作凭证上签章

临时用电的准用程序★

（1）施工单位根据国家有关标准、规范和施工现场的实际负荷情况，编制施工现场"临时用电施工组织设计"，并协助业主向当地电业部门申报用电方案

（2）按照电业部门批复的方案及《施工现场临时用电安全技术规范》进行临时用电设备、材料的采购和施工

（3）对临时用电施工项目进行检查、验收，并向电业部门提供相关资料，申请送电

（4）经电业部门检查、验收和试验，同意送电后送电开通

各级电压导线的边线延伸距离★★

电压等级为1～10kV，导线边缘向外侧延伸的距离为5m

电压等级为35～110kV，导线边缘向外侧延伸的距离为10m

电压等级为154～330kV，导线边缘向外侧延伸的距离为15m

电压等级为500kV，导线边缘向外侧延伸的距离为20m

环球网校
移动学习 职达未来 hqwx.com

特种设备的相关规定（1）

- 定义：特种设备是指对人身和财产安全有较大危险性的锅炉、压力容器（含气瓶）、压力管道、电梯、起重机械、客运索道、大型游乐设施、场（厂）内专用机动车辆，以及法律、行政法规规定的其他特种设备
- 锅炉制造、安装、改造、修理
  - （1）锅炉制造[含安装（散装锅炉除外）、修理、改造]许可：A级许可参数级别覆盖B级许可参数级别
  - （2）锅炉安装（含修理、改造）许可：1）A级许可参数级别覆盖B级许可参数级别；2）A级锅炉安装覆盖GC2、GCD级压力管道安装；3）B级锅炉安装覆盖GC2级压力管道安装
- 压力容器制造、安装、改造、修理
  - （1）固定式压力容器安装不单独进行许可，各类气瓶安装无需许可
  - （2）压力容器制造单位可以设计、安装与其制造级别相同的压力容器和与该级别压力容器相连接的工业管道（易燃易爆有毒介质除外，且不受长度、直径限制）
  - （3）压力容器改造和重大修理由取得相应级别制造许可的单位进行，不单独进行许可
- 压力管道安装
  - （1）长输管道安装（GA1、GA2）许可由国家市场监督管理总局实施。公用管道安装（GB1、GB2）、工业管道安装（GC1、GC2、GCD）许可由国家市场监督管理总局授权省级市场监管部门或由省级市场监管部门实施
  - （2）长输管道安装GA1级覆盖GA2级，工业管道安装GC1级、GCD级覆盖GC2级

环球网校
移动学习 职达未来 hqwx.com

特种设备的相关规定（2）

特种设备安装、改造、修理的开工告知★

《特种设备安全法》规定：特种设备安装、改造、修理的施工单位应当在施工前将拟进行的特种设备安装、改造、修理情况书面告知直辖市或者设区的的市级人民政府负责特种设备安全监督管理的部门

电梯★★

（1）电梯的制造、安装、改造和维修活动，必须严格遵守安全技术规范的要求

（2）电梯制造单位委托其他单位进行电梯安装、改造、修理的，应当对其安装、改造、修理活动进行安全指导和监控，并按照《安全技术规范》的要求对电梯进行校验和调试。电梯制造单位对校验和调试的结果、电梯安全性能负责

（3）电梯安装施工过程中，电梯安装单位应当服从建筑施工总承包单位对施工现场的安全生产管理，并订立合同，明确各自的安全责任

特种设备出厂（竣工）要求★★

（1）特种设备出厂时，应当随附安全技术规范要求的设计文件、产品质量合格证明、安装及使用维护保养说明、监督检验证明等相关技术资料和文件

（2）特种设备安装、改造及重大修理过程中及竣工后，应当经相关检验机构监督检查，未经检验或检验不合格者，不得交付使用。安装、改造、修理的施工单位应当在验收后30日内将相关技术资料和文件移交特种设备的使用单位。特种设备使用单位应当将其存入该特种设备的安全技术档案。移交的安全技术档案应当至少包括以下内容：

1）特种设备的设计文件、产品质量合格证明、安装及使用维护保养说明、监督检验证明等相关技术资料和文件，以及安装技术文件和资料

2）高耗能特种设备的能效测试报告

环球网校
移动学习 职达未来 hqwx.com

机电工程项目施工相关标准

工业安装施工质量的验收★

（1）检验项目质量验收合格应符合下列规定：1）主控项目的施工质量应符合相应专业施工质量验收标准的规定；2）一般项目每项抽检处（抽样）的施工质量应符合相应专业施工质量验收标准的规定；3）应具有完整施工依据、施工记录及质量检查、检验和试验记录（实体合格、资料齐全）

（2）检验批质量验收合格应符合下列规定：1）检验批应符合合格质量的规定；2）检验批的质量控制资料应齐全

（3）分项工程质量验收合格应符合下列规定：1）分项工程所含的检验项目（检验批）均应符合合格质量的规定；2）分项工程的质量控制资料应齐全（实体合格、资料齐全）

（4）分部（子分部）工程质量验收合格应符合下列规定：1）分部（子分部）工程所含分项工程的质量应全部合格；2）分部（子分部）工程的质量控制资料应齐全

（5）单位（子单位）工程质量验收合格应符合下列规定：1）单位（子单位）工程所含分部工程的质量应全部合格；2）单位（子单位）工程的质量控制资料应齐全（实体合格、资料齐全）

不合格处理办法★★

（1）返工后重新验收

（2）资质单位检测达到设计要求，判为验收通过

（3）检测不合格但原设计单位验算可保证安全使用，判为验收通过

（4）返修或加固改变了尺寸但能满足安全使用的，可按技术处理与协商文件验收

主控项目★★★

主控项目是保证工程安全和使用功能的重要检验项目，是对安全、卫生、环境保护和公共利益起决定性作用的检验项目，是确定该检验批主要性能的项目，因此必须全部符合有关专业工程验收规范的规定。例如，管道的压力试验，电气的绝缘与接地测试等均是主控项目